위대한 인물들과 함께하는 컬러링 여정

다중지능으로 빛나는 나의 컬러

박경미

다중지능으로 빛나는 나의 컬러 – 위대한 인물들과 함께하는 컬러링 여정

발 행 | 2024년 6월 10일
저 자 | 박경미
디 자 인 | 어비, 미드저니
편 집 | 어비
펴 낸 이 | 송태민
펴 낸 곳 | 열린 인공지능
등 록 | 2023.03.09(제2023-16호)
주 소 | 서울특별시 영등포구 영등포로 112
전 화 | (0505)044-0088
이 메 일 | book@uhbee.net

ISBN | 979-11-94006-25-1

www.OpenAIBooks.com

위대한 인물들과 함께하는 컬러링 여정

다중지능으로 빛나는 나의 컬러

박경미

목차

머리말

이 컬러링북은 단순한 색칠 활동을 넘어, 세상을 변화시킨 인물들의 삶을 통해 우리 자신의 성장과 발전을 모색하는 귀중한 기회를 제공합니다. 여러분도 이들처럼 세상에 긍정적인 변화를 가져올 수 있는 사람이 될 수 있습니다.

각 인물들이 갖고 있는 다중지능 강점의 조합을 생각해보고, DMGT(Developmental Model of Giftedness and Talent) 모형을 통해 이들이 어떻게 높은 성취를 이루었는지, 환경적 배경, 노력, 기회 등이 어떻게 작용했는지 조사하고 기록하며 성취의 비밀을 발견해보세요. 각 페이지를 색칠하며, 위대한 인물들의 삶에서 영감을 받고, 그들의 다중지능 강점과 성취 과정을 통해 나의 삶에 적용할 점을 찾아보세요. 자신의 롤모델을 분석해보며, 그들의 삶에서 배운 교훈을 내 삶에 적용해 보세요!

다중지능의 조합

다중지능 이론은 사람들이 서로 다른 지능의 조합을 가지고 있으며, 이러한 개별적 차이가 우리 각자의 독특한 잠재력과 성취 방식을 결정한다고 말합니다. 이는 마치 모든 사람의 지문이 다른 것처럼, 우리 각자의 지능 조합 역시 고유하며, 이에 따라 우리의 목표와 전략도 달라질 수밖에 없습니다. 각 인물들의 지능의 조합을 통해 모든 사람은 각자가 가진 독특한 잠재력과 강점을 바탕으로 성장하는 것을 발견하게 됩니다..

DMGT 모형과 성취의 여정

선천적 특성 : 롤모델의 타고난 특성을 다중지능으로 파악합니다.
환경적 상호작용 : 양육과 교육 환경이 어떻게 그들의 성장에 영향을 미쳤는지 살펴봅니다.
마음가짐과 실천 : 자신을 성장시키는 특별한 마음가짐과 실천 내용을 확인합니다.
결정적 기회와 성취 : 준비된 개인이 만난 기회와 그로 인한 결정적 성취를 분석합니다.

롤모델의 삶에서 배우기

이 컬러링북을 통해 다양한 인물들의 삶을 분석하고, 그 과정에서 색을 입히며, 자신의 삶에 유익한 성찰을 얻을 수 있습니다. 롤모델들의 삶을 통해 우리는 높은 꿈을 이루기 위한 방향을 찾고, 자신만의 성공 여정을 계획할 수 있게 됩니다.

저자 소개

숭실대학교 교육대학원에서 융합영재교육을 전공하고, 현재는 문화치유 분야에서 박사 과정에 임하고 있는 저는, 20여 년간의 교육 경험을 통해 교육의 본질에 대해 깊이 고민해왔습니다. 교육이란 라틴어 'educare'에서 유래한 것처럼, '밖으로 이끌어내다'는 의미를 담고 있습니다. 이처럼 저는 모든 사람 안에 이미 잠재된 능력을 발견하고, 그 능력이 외부로 발현될 수 있도록 돕는 것을 제 사명으로 여깁니다.

현재는 인공지능을 기반으로 한 다중지능 검사도구인 AI-MIT 고급 인큐베이터와, 다면적학습역량검사 도구인 MTLC 에듀코치로 활동하며, 교육상담 및 코칭 분야에서 활발히 활약하고 있습니다. 이러한 경험을 바탕으로 제작된 이 컬러링 북은 어린이들이 꿈의 방향을 설정하고, 생각과 꿈을 키워나갈 수 있도록 돕는 데 중점을 두고 있습니다. 저는 교육과 문화치유의 교차점에서 어린이들이 자신만의 색깔을 찾아가는 여정을 지원하고자 합니다.

이 컬러링 북이 어린이들에게 꿈을 향한 첫걸음이 되길 바랍니다.

현) 창의융합교육연구소 대표
현) 아트히어로 창의융합미술교육원 대표
현) 경희대 교육대학원 아동미술교육자과정 강의
현) 경희대 교육대학원 액티브시니어아트교육자과정 강의
현) AI-MIT 고급 인큐레이터
현) MTLC 1급코치. 전문강사 양성

위대한 인물들과 함께하는 컬러링 여정

다중지능으로 빛나는 나의 컬러

강점지능 리포트

DMGT분석	
선천적 특성	
환경적 상호작용	
마음가짐 & 실천	
기회 & 성취	

적용	

DMGT분석		
	선천적 특성	
	환경적 상호작용	
	마음가짐 & 실천	
	기회 & 성취	

적용	

강점지능 리포트

DMGT 분석	
선천적 특성	
환경적 상호작용	
마음가짐 & 실천	
기회 & 성취	

적용	

DMGT 분석		
	선천적 특성	
	환경적 상호작용	
	마음가짐 & 실천	
	기회 & 성취	

적용	

DMGT 분석		
	선천적 특성	
	환경적 상호작용	
	마음가짐 & 실천	
	기회 & 성취	

적용	

강점지능 리포트

DMGT 분석	
선천적 특성	
환경적 상호작용	
마음가짐 & 실천	
기회 & 성취	

적용	

강점지능 리포트

DMGT분석	
선천적 특성	
환경적 상호작용	
마음가짐 & 실천	
기회 & 성취	

적용	

강점지능 리포트

DMGT 분석	
선천적 특성	
환경적 상호작용	
마음가짐 & 실천	
기회 & 성취	

적용	

강점지능 리포트

DMGT분석	
선천적 특성	
환경적 상호작용	
마음가짐 & 실천	
기회 & 성취	

적용	

강점지능 리포트

DMGT 분석	
선천적 특성	
환경적 상호작용	
마음가짐 & 실천	
기회 & 성취	

적용	

강점지능 리포트

<table>
<tr><td rowspan="4">DMGT 분석</td><td>선천적 특성</td><td></td></tr>
<tr><td>환경적 상호작용</td><td></td></tr>
<tr><td>마음가짐 & 실천</td><td></td></tr>
<tr><td>기회 & 성취</td><td></td></tr>
</table>

적용	

BALLIS
23

강점지능 리포트

DMGT 분석	
선천적 특성	
환경적 상호작용	
마음가짐 & 실천	
기회 & 성취	

적용

강점지능 리포트

DMGT 분석		
	선천적 특성	
	환경적 상호작용	
	마음가짐 & 실천	
	기회 & 성취	

적용	

강점지능 리포트

DMGT 분석	
선천적 특성	
환경적 상호작용	
마음가짐 & 실천	
기회 & 성취	

적용

DMGT 분석		
	선천적 특성	
	환경적 상호작용	
	마음가짐 & 실천	
	기회 & 성취	

적용	

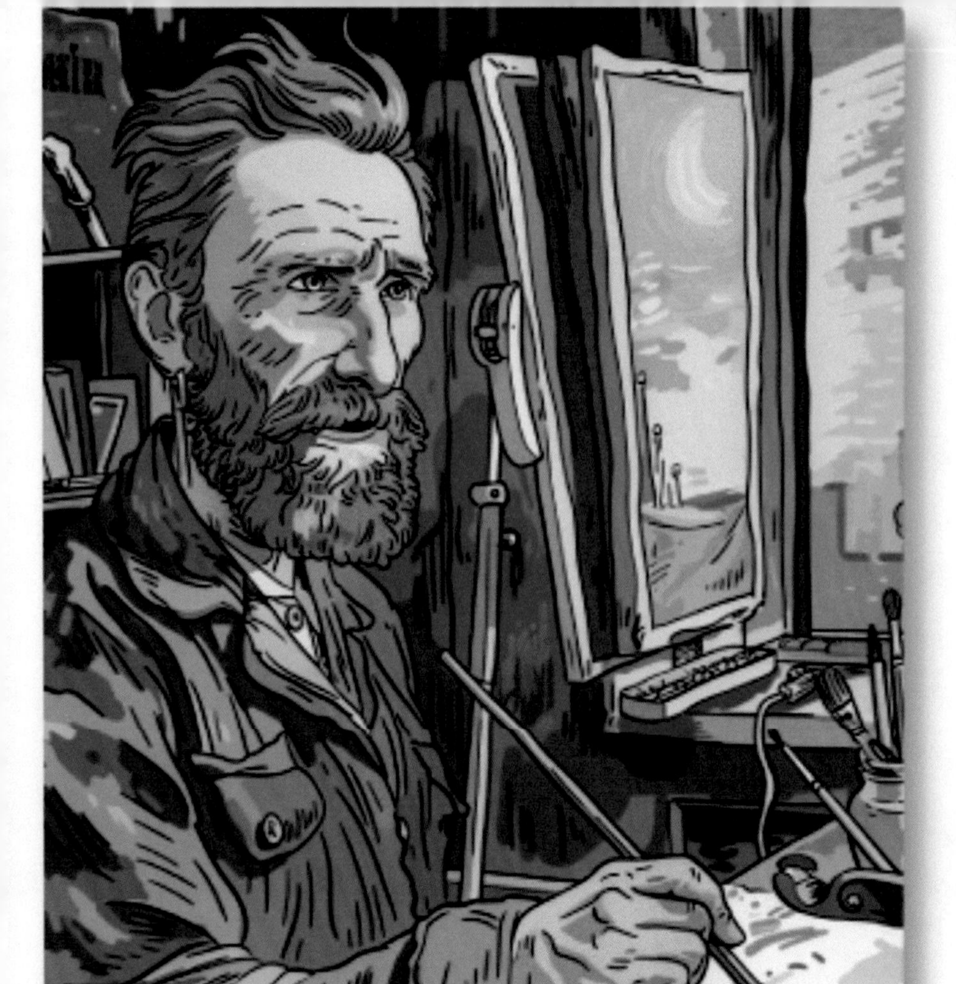

강점지능 리포트

DMGT분석	
선천적 특성	
환경적 상호작용	
마음가짐 & 실천	
기회 & 성취	

적용

강점지능 리포트

DMGT 분석	
선천적 특성	
환경적 상호작용	
마음가짐 & 실천	
기회 & 성취	

적용	

강점지능 리포트

DMGT 분석	
선천적 특성	
환경적 상호작용	
마음가짐 & 실천	
기회 & 성취	

적용

강점지능 리포트

DMGT 분석		
	선천적 특성	
	환경적 상호작용	
	마음가짐 & 실천	
	기회 & 성취	

적용	

강점지능 리포트

DMGT 분석	
선천적 특성	
환경적 상호작용	
마음가짐 & 실천	
기회 & 성취	

적용	

1

DMGT 분석	
선천적 특성	
환경적 상호작용	
마음가짐 & 실천	
기회 & 성취	

적용	

강점지능 리포트

DMGT분석	
선천적 특성	
환경적 상호작용	
마음가짐 & 실천	
기회 & 성취	

적용	

강점지능 리포트

DMGT 분석	
선천적 특성	
환경적 상호작용	
마음가짐 & 실천	
기회 & 성취	

적용	

강점지능 리포트

DMGT 분석		
	선천적 특성	
	환경적 상호작용	
	마음가짐 & 실천	
	기회 & 성취	

적용	

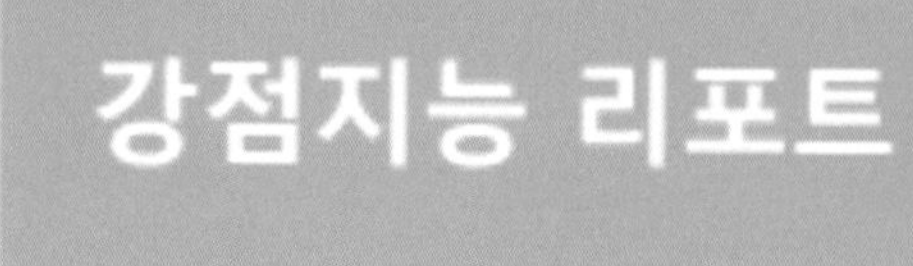

DMGT 분석		
	선천적 특성	
	환경적 상호작용	
	마음가짐 & 실천	
	기회 & 성취	

적용	

DMGT 분석		
	선천적 특성	
	환경적 상호작용	
	마음가짐 & 실천	
	기회 & 성취	

적용	

DMGT 분석		
	선천적 특성	
	환경적 상호작용	
	마음가짐 & 실천	
	기회 & 성취	

적용	

강점지능 리포트

DMGT 분석	
선천적 특성	
환경적 상호작용	
마음가짐 & 실천	
기회 & 성취	

적용	

JMM • • IS-CANTY S

강점지능 리포트

DMGT분석	
선천적 특성	
환경적 상호작용	
마음가짐 & 실천	
기회 & 성취	

적용	

AIA

DMGT분석		
	선천적 특성	
	환경적 상호작용	
	마음가짐 & 실천	
	기회 & 성취	

적용	

이 컬러링북은 단순히 색을 칠하는 활동이 아닙니다. 여러분이 자신의 재능과 가능성을 탐색하고, 꿈에 한 발자국 더 다가갈 수 있는 기회를 제공합니다. 각 페이지를 색칠하며, 위대한 인물들의 삶에서 영감을 받고, 그들의 다중지능 강점과 성취 과정을 통해 나의 삶에 적용할 점을 찾아보세요.

이 컬러링북을 통해 여러분이 자신만의 색깔을 찾고, 더욱 다채롭고 의미 있는 삶을 살아가는 데 도움이 되길 바랍니다. 여러분의 여정이 시작되었습니다. 이제, 여러분의 색연필로 이 책을 채워나가며, 자신만의 이야기를 만들어가 보세요.

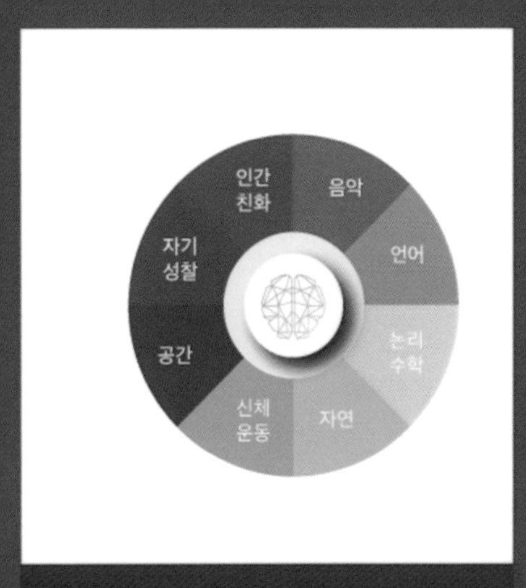

하워드 가드너의 다중지능

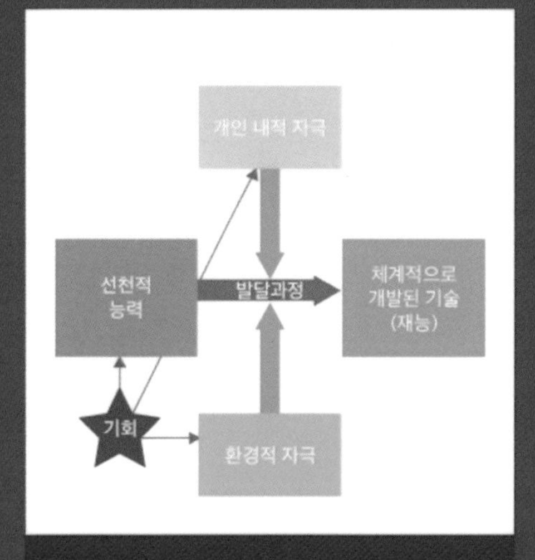

가네의 DMGT모형

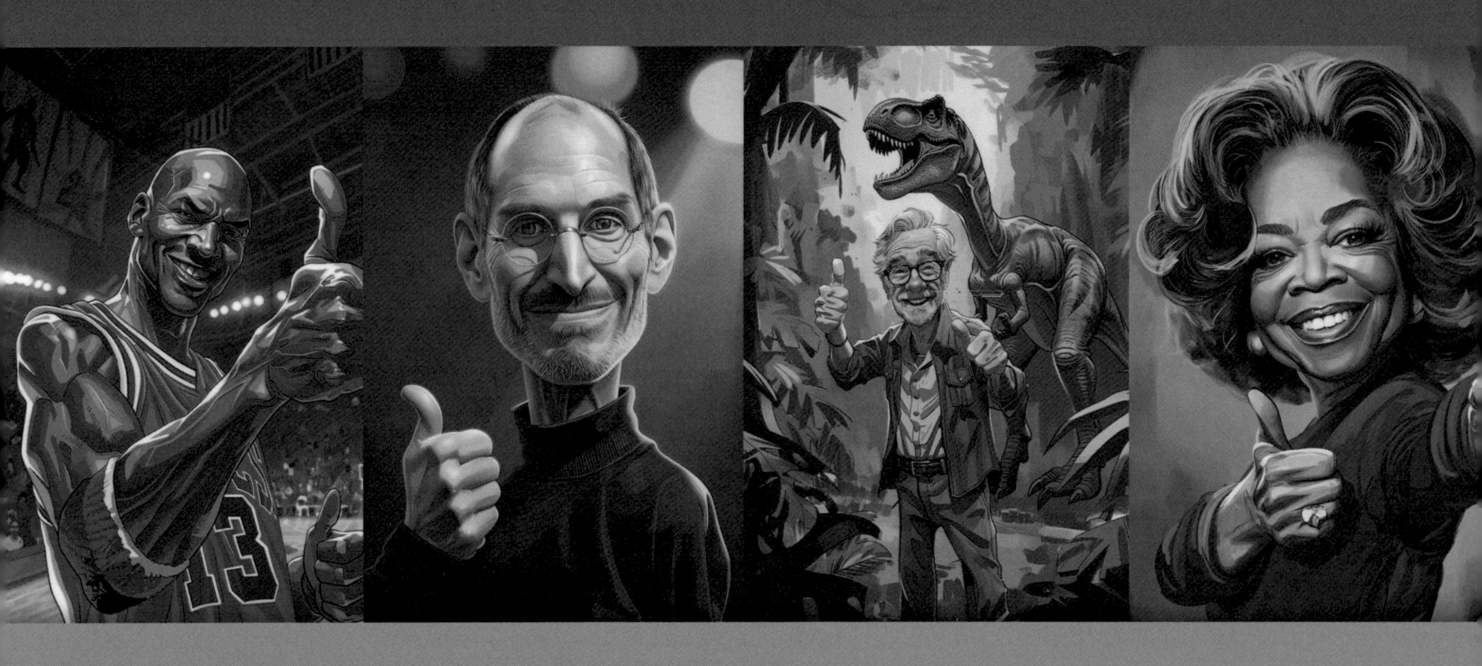

ISBN 979-11-94006-25-1

값 15,000원

문자 입문 교과서

훈몽자회 3360

최세진 찬 ; 오종필 옮김

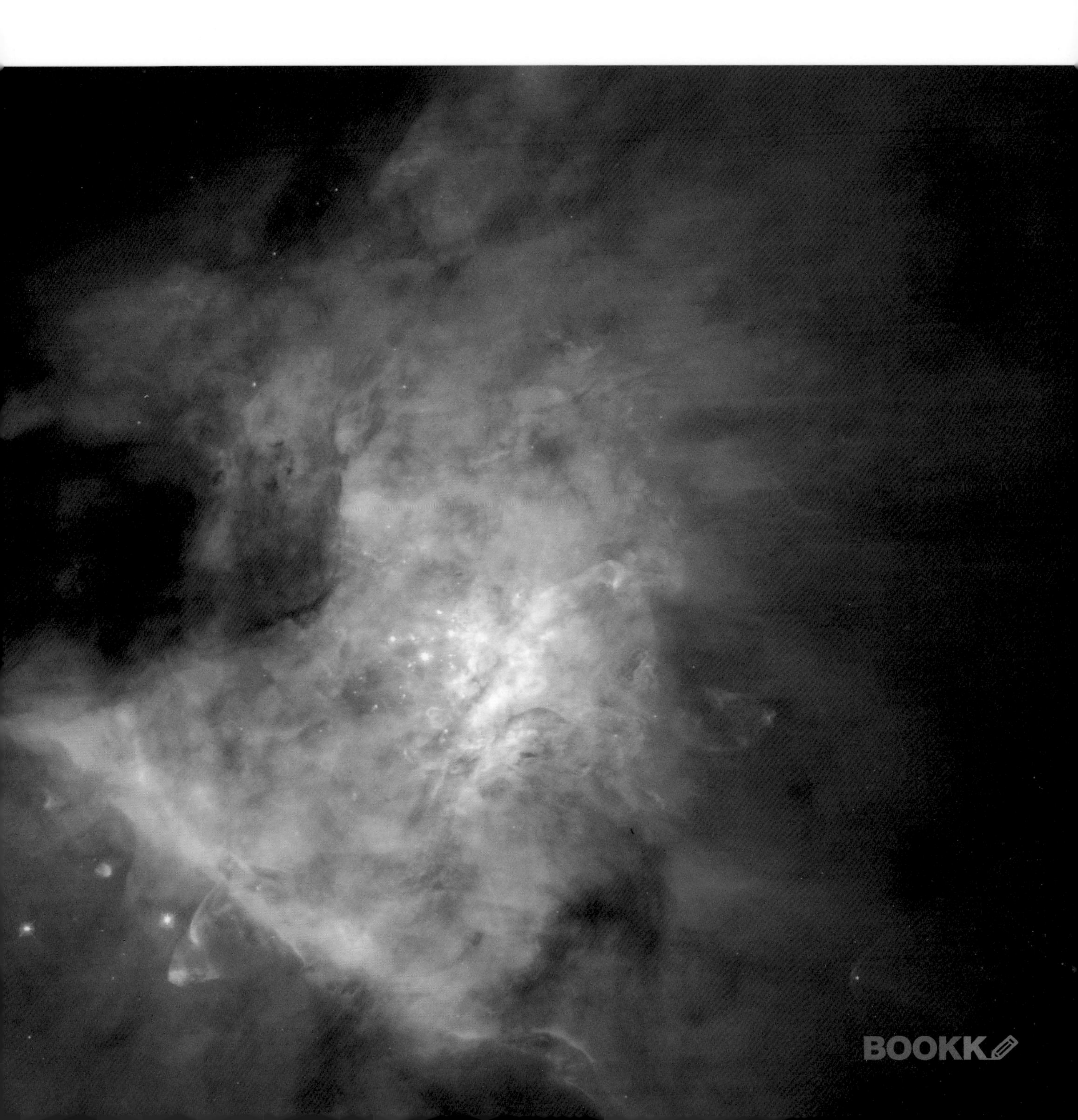